Título original: Crocodile Under My House

© 2018, del texto: Shōichi Nejime
© 2018, de las ilustraciones: Shinya Komatsu

Esta edición fue publicada originalmente en Japón, Tokio,
por Fukuinkan Shoten Publishers, Inc. bajo el título ´ゆかしたのワニ´
Los derechos de esta edición fueron negociados
a través de Fukuinkan Shoten Publishers, Inc.

Todos los derechos reservados.

© 2021, de esta edición: Libros del Zorro Rojo
Barcelona - Buenos Aires - Ciudad de México
www.librosdelzorrorojo.com

Dirección editorial: Fernando Diego García
Dirección de arte: Sebastián García Schnetzer
Edición: Estrella Borrego
Traducción: Eugenia García Munín
Corrección: Andrea Bescós
Maquetación: Camila Madero

I S B N: 978-84-123400-4-4
Depósito legal: B-18683-2021

Primera edición: diciembre de 2021

Impreso en Eslovenia por GPS Group

El derecho a utilizar la marca «Libros del Zorro Rojo»
corresponde exclusivamente a las siguientes empresas:
albur producciones editoriales s.l.
LZR Ediciones s.r.l.

Hay un cocodrilo debajo de casa. Por la noche, me pongo
unas botas de agua y me coloco una linterna en la cabeza;

agarro un cubo, me ato a la cintura una bolsa de herramientas, y bajo a lavarle los dientes al cocodrilo.

El cocodrilo desconfía,
pero cuando entiende que vengo
a lavarle los dientes, hace «AAAH»
y abre bien grande la boca.

Saco un tronco de la bolsa
y sujeto con él su mandíbula,
no vaya a ser que cierre la boca
y me muerda.

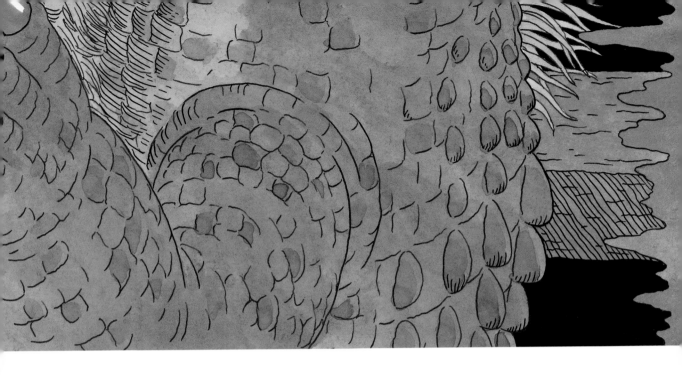

Con la linterna alumbro
el interior de su boca
y veo trozos brillantes de carne
enganchados por todos lados.

Entonces, saco de la bolsa un palillo y empiezo la dura tarea de limpiar entre los dientes, una y otra vez.

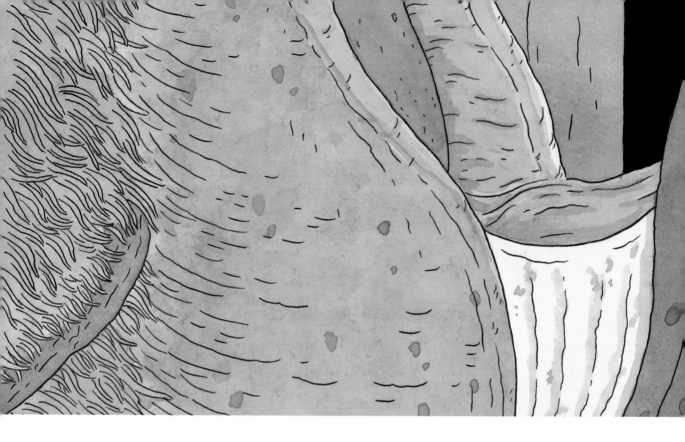

También saco un cepillo de dientes largo,
muy largo, y froto primero los dientes
de arriba y luego, los de abajo.

Cuando la parte de delante está limpia,

me meto dentro de
su boca, me tumbo
de espaldas y cepillo
los dientes por detrás.

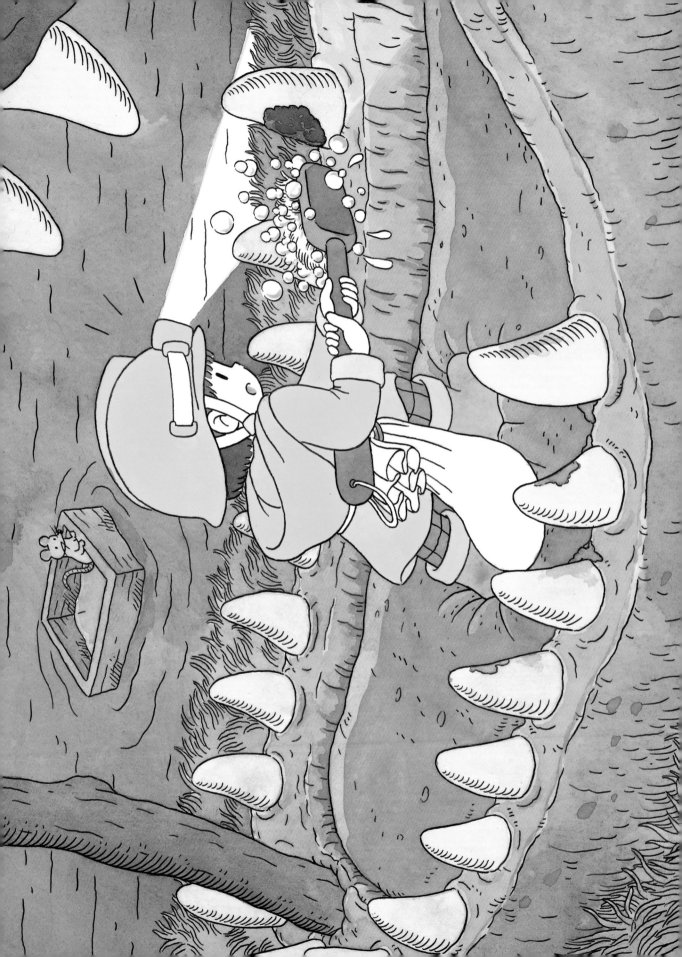

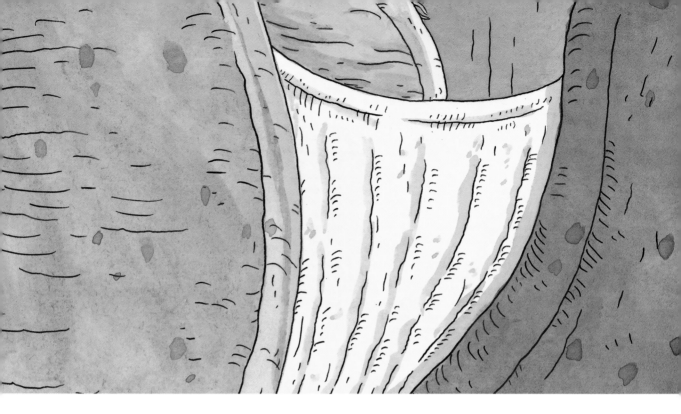

Cuando acabo, me pongo de pie
para cepillar los dientes del fondo.

De pronto, veo algo negro pegado
en una muela.

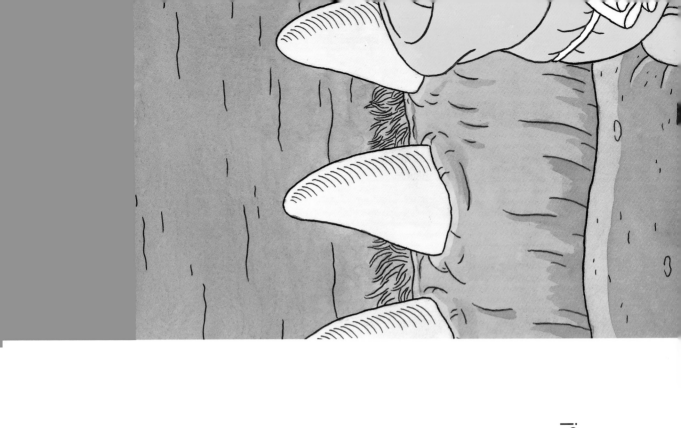

Si eso es una caries, tenemos un problema.
Saco de la bolsa una lupa y enfoco
con la linterna la mancha negra.
Examino con atención: ¡son escamas de pescado!
Ya sabemos lo que ha desayunado el cocodrilo.

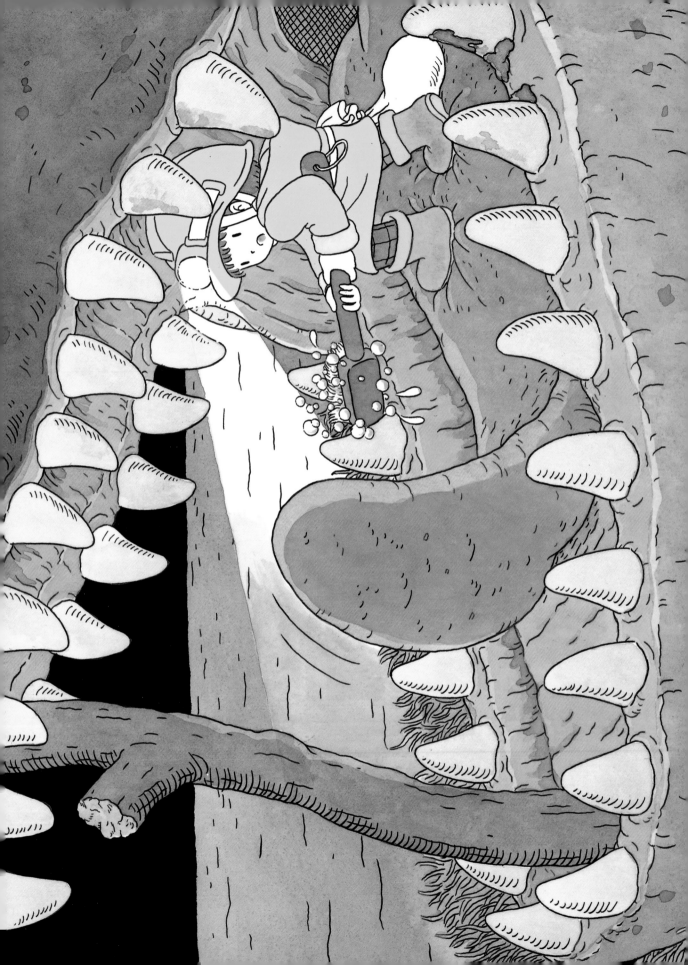

Froto con todas mis fuerzas, pero las escamas no salen; el cocodrilo empieza a impacientarse. Su lengua larga y dura amenaza con atraparme...

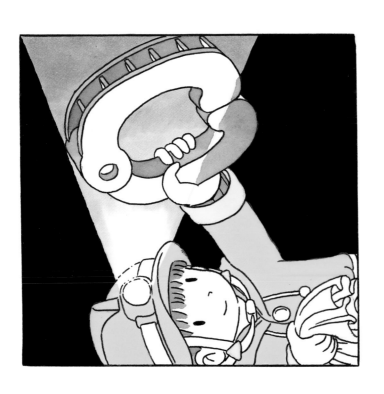

Saco de la bolsa unas pinzas bien grandes y engancho con ellas la lengua del cocodrilo. Sigo cepillando con esmero para limpiar el resto de los dientes.

El cocodrilo empieza a salivar y resopla con fuerza.

El tronco cruje: ¡está a punto de romperse!

Rápidamente saco de la bolsa el frasco de pimienta

y la espolvoreo en su garganta.

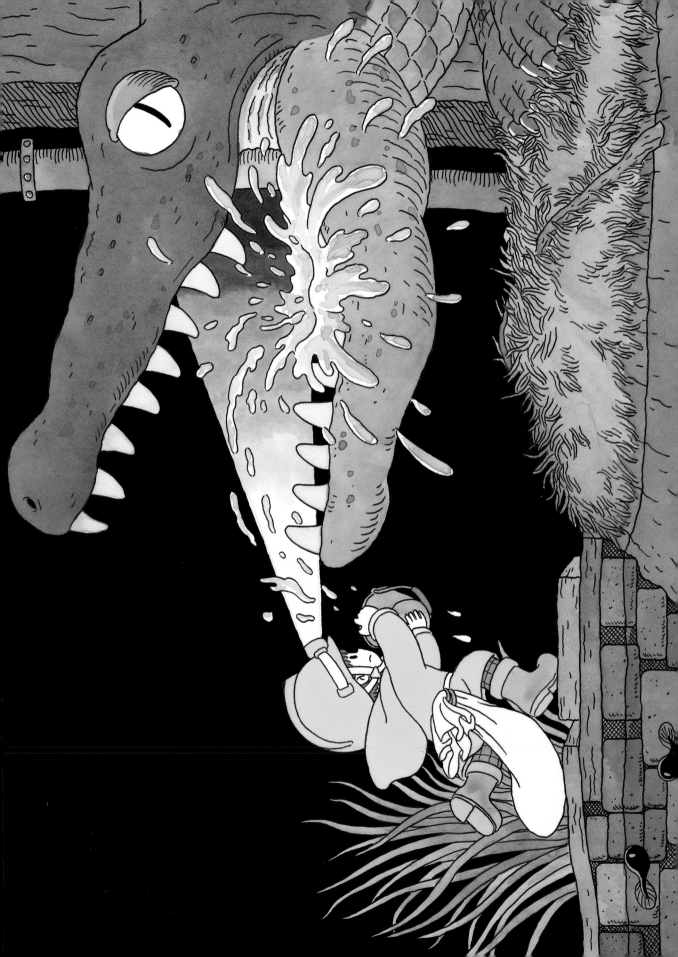

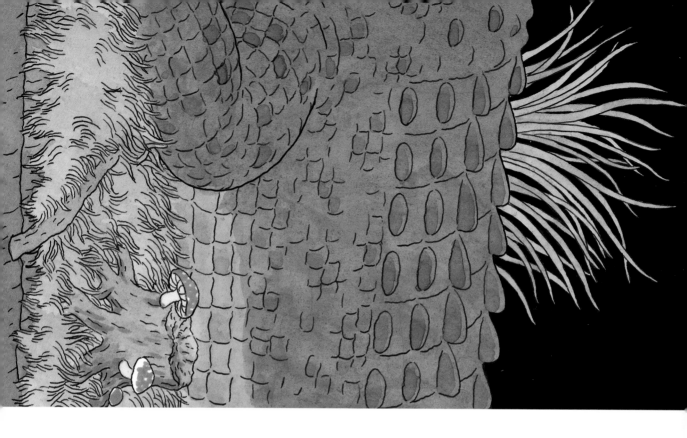

Arrojo cubetas de agua en su boca,
el cocodrilo hace gárgaras y se enjuaga.

Así el lavado de dientes del cocodrilo
llega a su fin.

Cuando estoy a punto de subir a casa, veo que...

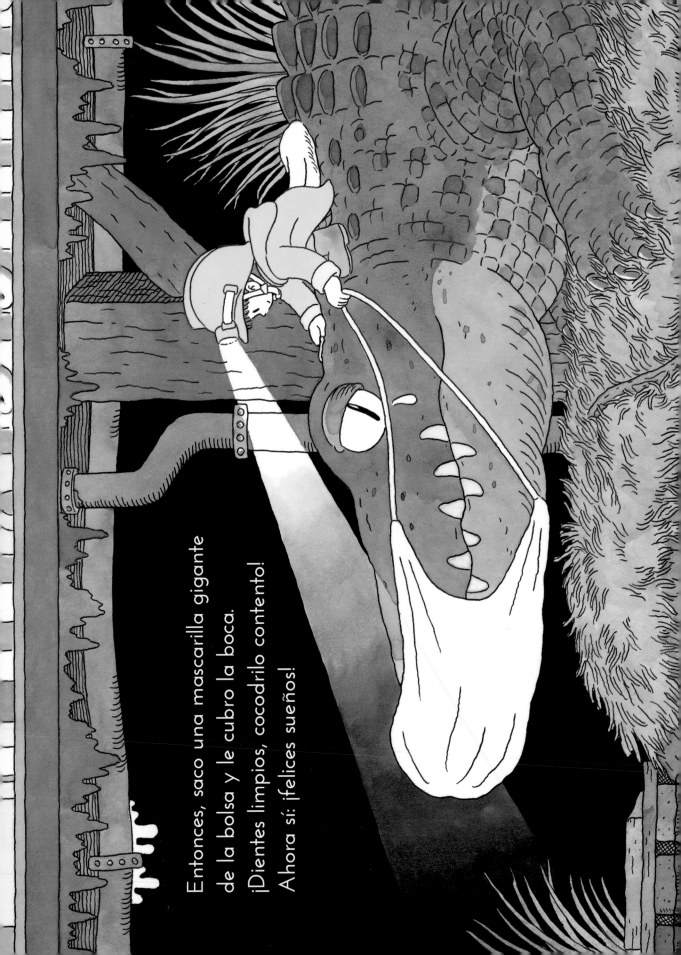

Entonces, saco una mascarilla gigante
de la bolsa y le cubro la boca.
¡Dientes limpios, cocodrilo contento!
Ahora sí: ¡felices sueños!